JOJO 7

MAMY SE DÉFEND

PAR GEERTS.

DUPUIS

Dans la série "Jojo", en version cartonnée :

1. Le temps des copains
2. La fugue de Jojo
3. On opère Gros-Louis
4. Le mystère Violaine
5. Un été du tonnerre
6. Le serment d'amitié
7. Mamy se défend
8. Monsieur Je Sais Tout
9. Le retour de papa
10. La chance de Sébastien
11. Les choix de Charlotte
12. Au pensionnat
13. Une pagaille de Dieu le Père

www.jojo.kidcomics.com

D. 2004/0089/23— Dépôt légal : janvier 2004.
ISBN 2-8001-3570-0
© Dupuis, 1995.
Tous droits réservés.
Imprimé en Belgique.

www.dupuis.com

C'EST UNE BONNE IDÉE QUE VOUS AVEZ EUE LÀ. ÇA VA ÊTRE TRÈS POÉTIQUE.

TRÈS.

OUÂÂÂH ! MOI, JE VAIS ME COUCHER ! À MON ÂGE, RIEN NE VAUT UN BON LIT ! BONNE NUIT, LES ENFANTS ! DORMEZ BIEN !

BONNE NUIT, MAMY !

MAMY ?

TU NE DORS PAS, JOJO ?

GROS-LOUIS ET MOI, ON A UN PEU PEUR. TU POURRAS LAISSER TA LUMIÈRE ALLUMÉE ?

VOILÀ. ÇA IRA COMME ÇA ?

GÉNIAL ! BONNE NUIT, MAMY !

AAAAAAH! AU SECOURS!

JOJO! GROS-LOUIS! QU'EST-CE QUI SE PASSE ENCORE?

UNE BÊTE! 'Y A UNE BÊTE QUI EST ENTRÉE DANS LA TENTE!

RRRR CROC FRCHLL

FROUNCH

HA!HA! C'EST UN HÉRISSON QUI A ÉTÉ ATTIRÉ PAR LES PROVISIONS DE GROS-LOUIS! REGARDEZ-LE DÉTALER!

FROUP

ALLEZ! RETOURNEZ VITE VOUS COUCHER. FERMEZ VOTRE TENTE, ET DORMEZ!

UN HÉRISSON!... RRRRR

ZZZZ

MAMY!

ON SAIT PAS DORMIR! GROS-LOUIS DIT QUE LES HÉRISSONS PEUVENT PARFOIS OUVRIR LES FERMETURES-ÉCLAIR DES TENTES!

HOU HOU!

CRI CRI CRI

BON! J'AI COMPRIS. JE DESCENDS!

JE M'INSTALLE ICI LE TEMPS QUE VOUS VOUS ENDORMIEZ. MAIS APRÈS, JE NE VEUX PLUS NI VOUS VOIR NI VOUS ENTENDRE! COMPRIS?

CRI CRI CRI CRI

HOU

UN HÉRISSON QUI OUVRE LES FERMETURES-ÉCLAIR!...

JE VAIS UN PEU ÉCOUTER LA RADIO POUR ME TENIR ÉVEILLÉE...

ET VOICI LA SUITE DE NOTRE PROGRAMME MUSICAL

QUELLE IMAGINATION...

RRRR

13.

RONFLL RONFL RONFL

MAMY RONFLE VRAIMENT BEAUCOUP TROP FORT!

OUAIS! IMPOSSIBLE DE FERMER L'OEIL!

BON, BEN MOI, JE VAIS DORMIR DANS LA MAISON.

OUAIP! MOI AUSSI!

ET VOICI LA MÉTÉO POUR CETTE NUIT: UNE ZONE DE BASSE PRESSION SE DIRIGE VERS NOS RÉGIONS NOUS AMENANT FROID ET PLUIE...

SI VOUS SORTEZ, COUVREZ-VOUS ET N'OUBLIEZ PAS VOTRE PARAPLUIE.

SANS PLUS ATTENDRE LA SUITE DE NOTRE PROGRAMME MUSICAL...

FINALEMENT, RIEN NE VAUT UN BON LIT! PAS VRAI, GROS-LOUIS?

OUAIS! C'EST MAMY QUI AVAIT RAISON! BONNE NUIT, JOJO!

Fin

JOJO, TU POURRAIS DEMANDER À TA PETITE COPINE DE DESCENDRE CINQ MINUTES ?

J'AI VU QUE TU DANSAIS TRÈS TRÈS BIEN, ET J'AI PENSÉ QUE TU POUVAIS ME RENDRE UN PETIT SERVICE... VOILÀ : BZZZZ BZZ

AVEC PLAISIR !

EH OUI ! À MON ÂGE, ON EST BIEN CONTENT DE RECEVOIR UN PETIT COUP DE MAIN POUR REPIQUER SES POIREAUX !

G.'94.

II 1.

VINGT-SIX KILOMÈTRES À' PIED, ÇA USE, ÇA USE, VINGT-SIX KILOMÈTRES À' PIED, ÇA USE LES SOULIERS !

AH!

LES ENFANTS, JE CROIS QUE J'AI TROUVÉ L'ENDROIT IDÉAL POUR PASSER CES QUELQUES JOURS DE VACANCES !

ALLEZ VOUS AMUSER PENDANT QUE JE MONTE LA TENTE.

HÉ! HÉ! CES VACANCES SAUVAGES VONT LEUR FAIRE DU BIEN, À' CES ENFANTS !

ILS SONT TROP ATTACHÉS À' LEUR CONFORT, CE N'EST PAS BON, ÇA LES RAMOLLIT !

FORCÉMENT, QUAND IL SUFFIT D'APPUYER SUR UN BOUTON POUR OBTENIR TOUT CE QU'ON VEUT, ON FINIT PAR PERDRE LE SENS DE L'EFFORT, DE L'IMAGINATION.

PUF PUF PUF

HÉ! HÉ! QU'EST-CE QUE JE DISAIS ?! ILS NE SONT ICI QUE DEPUIS VINGT-CINQ MINUTES, ET ILS ONT DÉJÀ TROUVÉ QUELQUE CHOSE DE CRÉATIF À FAIRE !

LES BRAVES ENFANTS ! JE ME DEMANDE QUEL INGÉNIEUX PETIT BRICOLAGE LA NATURE LEUR A INSPIRÉ ...

MAIS NE TROUBLONS PAS CE QUI SERA POUR EUX À JAMAIS DES MOMENTS DÉLICIEUX ...

EN TOUT CAS, CELA VAUT MIEUX QUE DE REGARDER LA TÉLÉVISION !

AAH, MONSIEUR GROS-LOUIS, QUE LA NATURE EST BELLE ET BIEN FAITE !

PEUT-ON IMAGINER COULEURS PLUS HARMONIEUSES, TONS PLUS SUBTILS, PARFUMS PLUS ENIVRANTS ?

ET REGARDEZ-MOI CE MIRACLE D'ADAPTATION, CETTE ABEILLE, QUI TOUT EN FAISANT SES PROVISIONS, FÉCONDE LES FLEURS QU'ELLE BUTINE, PERMETTANT AINSI À CELLES-CI DE SE REPRODUIRE. QUELLE FORMIDABLE ORGANISATION !

MAIS QUELLE FANTAISIE AUSSI ! QUELLE IMAGINATION !

TOUT CELA NE PEUT PAS AVOIR ÉTÉ CRÉÉ PAR HASARD ...

IL Y A LA FORCÉMENT LA SIGNATURE D'UN GRAND ARTISTE !

JOJO! GROS-LOUIS! ALORS ? ON NE PEUT PLUS VOUS LAISSER CINQ MINUTES TOUT SEULS SANS QUE VOUS FASSIEZ UNE BÊTISE ?!

GEERTS 94.

IV-1.

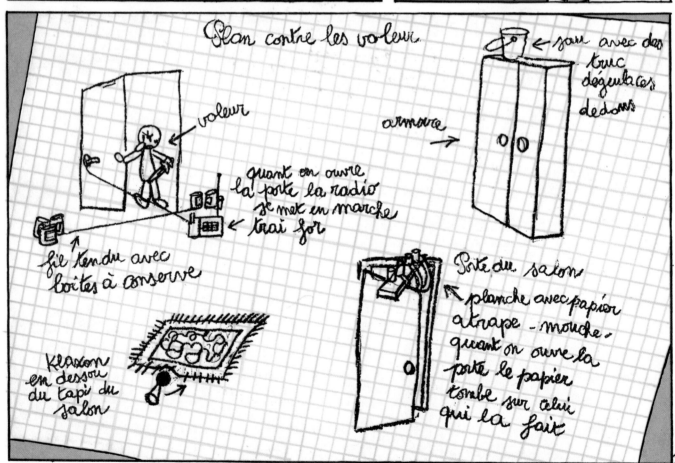

AAAAH, TU VOULAIS T'ATTAQUER AUX SOUS DE MAMU! MONTRE-NOUS TON BÊTE VISAGE!

IL EST GROS, CE VOLEUR, MINCE!

OH!

MAMU!

MAIS MAMU, QU'EST-CE QUE TU FAIS LÀ?

TU NE DEVAIS RENTRER QUE VERS CINQ HEURES!

JE SUIS RENTRÉE PLUS TÔT PARCE QUE J'ÉTAIS LA PREMIÈRE À LA BANQUE, IL N'Y AVAIT PAS DE MONDE DANS LES MAGASINS, ET J'AI EU UN BUS TOUT DE SUITE.

JE ME SUIS DIT: "TIENS! UN JOUR DE CHANCE!"...

C'ÉTAIT OUBLIER QU'IL Y AVAIT DEUX PETITS MONSTRES QUI M'ATTENDAIENT À LA MAISON! MAIS QU'EST-CE QUI VOUS EST PASSÉ PAR LA TÊTE?!

ON PENSAIT BIEN FAIRE. C'EST DES PIÈGES POUR LES VOLEURS.

ON A FAIT ÇA POUR PROTÉGER TES AFFAIRES.

AH BON?...

JOE LE TAX Crrr PPiiii RRCCrr

MAIS MES PAUVRES CHÉRIS, JAMAIS UN VOLEUR PROFESSIONNEL NE SE LAISSERAIT PIÉGER PAR DES BRICOLAGES DE PETITS ENFANTS! C'EST BON POUR ATTRAPER LES VIEILLES MAMYS TROP CONFIANTES, ÇA!

OUI MAIS NON, REGARDE, ON AVAIT PAS TOUT INSTALLÉ. ON A ENCORE DES TAS DE PIÈGES !

DES TRUCS AVEC DU PAPIER TUE-MOUCHES, UN SEAU AVEC DE LA ...

ÉVIDEMMENT, FAUDRA QUE TU NOUS DONNES UNE AUTRE RADIO. CELLE-LÀ NE MARCHE PLUS TRÈS BIEN.

AH NON ! ÇA SUFFIT ! J'EN AI ASSEZ DE VOS TRUCS ET VOS MACHINS !

JE NE VEUX PLUS EN ENTENDRE PARLER POUR AUJOURD'HUI !

AÏE ! AÏE !

VROUF

ET POUR ÊTRE SÛRE QUE VOUS N'Y TOUCHEREZ PLUS, À CLEF, L'ARMOIRE !

D'AILLEURS, MOI AUSSI, J'AI PENSÉ AU VOLEUR ! J'AI ACHETÉ UN VERROU SEMI-PROFESSIONNEL !

ET SI AVEC ÇA, UN VOLEUR PARVIENT ENCORE À ENTRER ICI, JE VOUS PROMETS QUE VOUS POURREZ METTRE TOUS LES PIÈGES ET LES ALARMES QUE VOUS VOUDREZ.

HOÛ ! HOÛ ! HOÛ !

HOU! HOU!

MMH... SERRURE A DOUBLE TOUR... VERROU SEMI-PROFESSIONNEL RÉCEMMENT ACHETÉ...

CLIC CLOC

UN JEU D'ENFANTS!

SNIF... SNIF SNIF... MON FLAIR ME DIT QU'IL Y A DES CHOSES INTÉRESSANTES A' DÉCOUVRIR DANS CETTE MAISON...

C'EST PAS L'ODEUR DE L'ARGENT, MAIS ÇA Y RESSEMBLE!

SNIF SNIF

ÇA VIENT DE CETTE ARMOIRE... HMM... PLEINE A' CRAQUER!

FERMÉE A' CLEF...

MON IMPRESSION SE CONFIRME... UN PETIT TOUR DE CROCHET A' GAUCHE... UN PETIT TOUR A' DROITE...

ET HOP!...

BENG BOLONG TUNG POUET! CLIC!

VOUS AVEZ AUSSI ENTENDU, LES ENFANTS?

ÇA VIENT D'EN BAS!

YO NO SOY MARINERO

SOY CAP

VOUS ÊTES SÛRE QUE VOUS NE VOULEZ PAS VENIR À LA MER AVEC NOUS, MADAME MAMU ?

NON, NON, JE VOUS ASSURE, JE COMPTE PROFITER DE CETTE SEMAINE DE VACANCES POUR METTRE DE L'ORDRE DANS LA MAISON ET POUR JARDINER, AUSSI. NE VOUS EN FAITES PAS POUR MOI, JE VAIS ÊTRE TRÈS BIEN.

ALLEZ VITE, LES ENFANTS ! JE VEUX VOUS REVOIR TOUT BRONZÉS DANS UNE SEMAINE !

ET ÉCRIVEZ-MOI UNE PETITE CARTE !

ET VOILÀ...
JE SUIS SEULE.

HÉ ! HÉ ! JE VAIS POUVOIR LIRE MON " CHIC MADAM' " SANS ÊTRE DÉRANGÉE !

MMMMHHH !

CRAC

QUI EST LÀ ?!

CRAC
CRAC

HA ! HA ! C'EST LE VAISSELIER QUI CRAQUE !

CRR

C'EST DRÔLE COMME ON REMARQUE LE MOINDRE PETIT BRUIT QUAND ON EST SEULE DANS UNE MAISON. ON POURRAIT PRESQUE S'IMAGINER QU'IL Y A DES BANDITS PARTOUT, PRÊTS À VOUS SAUTER DESSUS !

TAC
CRAC
CLIC
DOUG DOUG KLONG CRRR
CLOC
CRRR
CROC
PENG
PONG !

BON... JE VAIS ALLUMER LA TÉLÉVISION !

ET SI JE FAISAIS CROIRE QUE JE N'ÉTAIS PAS TOUTE SEULE À LA MAISON, CE SOIR ?...

ET C'EST SUR CE TÉMOIGNAGE QUE SE TERMINE NOTRE MAGAZINE. BONSOIR !

OH ! MAIS C'EST RAVISSANT, ICI !

VOUS REPRENDREZ BIEN UN PEU DE PUNCH ?

ENCORE UN PEU DE CHAMPAGNE, MONSIEUR LE COMMISSAIRE ?

HA ! HA ! HA ! SACRÉ LUCIEN !

JE VOUS EN PRIE !

TAP TAP TAP   TAP TAP

CRAC

QUAND FAUT Y ALLER, FAUT Y ALLER !

MAIS D'ABORD, J'AIMERAIS TROUVER QUELQUE CHOSE DANS LA CHAMBRE DE JOJO !...

VOYONS... D'HABITUDE, JOJO MET SA BATTE DE BASE-BALL DANS SON COFFRE À JOUETS...

RIEN ! IL A DÛ LA PRENDRE AVEC LUI EN VACANCES !

POURTANT, IL FAUT ABSOLUMENT QUE JE TROUVE QUELQUE CHOSE QUI PUISSE ME PROTÉGER CETTE NUIT ! VOYONS, EN CHERCHANT BIEN...

FIN DE L'ÉPISODE -

ALORS, MADAME MAMY? ON SE MET AU BASE-BALL?

OH! MONSIEUR LA VOIE DE LA SAGESSE!

NE VOUS MOQUEZ PAS DE MOI, MONSIEUR LA VOIE DE LA SAGESSE. À MON ÂGE, ET AVEC TOUTES LES AGRESSIONS QU'IL Y A, JE VOUS ASSURE QU'ON SE SENT PLUS EN SÉCURITÉ AVEC ÇA À PORTÉE DE MAIN.

ÇA ALORS! CE QUE VOUS ME DITES EST INCROYABLE! QUELLE COÏNCIDENCE!

?

FIGUREZ-VOUS QUE JE VIENS D'OUVRIR UN COURS D'AUTODÉFENSE POUR PERSONNES DU TROISIÈME ÂGE! ET LA PREMIÈRE LEÇON SE DONNE CET APRÈS-MIDI! SI VOUS VOULEZ, VOUS POUVEZ VOUS INSCRIRE.

VOUS CROYEZ QUE...?

CELA VAUT LA PEINE D'ESSAYER! ALLEZ, LAISSEZ TOMBER LE BASE-BALL, FAITES CONFIANCE AUX ARTS MARTIAUX!

MAIS... IL ME FAUDRAIT CET ÉQUIPEMENT SPÉCIAL, LÀ... UN MONOKINI!

UN KIMONO! VENEZ! NOUS ALLONS LE CHOISIR ENSEMBLE.

VOUS VERREZ! JE SUIS SÛR QU'EN PEU DE TEMPS, VOUS ALLEZ DEVENIR UNE VRAIE CHAMPIONNE!

OOH! MONSIEUR LA VOIE DE LA SAGESSE....!

BONJOUR! VOUS AVEZ DÉCIDÉ DE NE PLUS VIVRE DANS L'INQUIÉTUDE ET LA PEUR, BRAVO!

EN VOUS INSCRIVANT À CETTE SEMAINE DE COURS, VOUS AVEZ CHOISI D'OPPOSER LA SOUPLESSE ET L'INTELLIGENCE À LA FORCE BRUTALE.

VOUS ÊTES SOUPLE, VOUS?

MOI, JE CROIS BIEN QUE J'AI ÉTÉ INTELLIGENTE, AUTREFOIS... OUI, OUI, ÇA ME DIT QUELQUE CHOSE...

SI C'EST COMME ÇA, JE M'EN VAIS!

MAIS POULET, ON A PAYÉ POUR TOUTE LA SEMAINE!

COMME DANS TOUT ART MARTIAL, CHAQUE SÉANCE DÉBUTERA PAR LE SALUT RITUEL.

VOUS NE SALUEZ PAS?

ON NE VA TOUT DE MÊME PAS SALUER UN VOYOU QUI S'APPRÊTE À NOUS AGRESSER POUR NOUS VOLER NOTRE PETITE PENSION!

SALUE, POULET, ON A PAYÉ POUR LA SEMAINE.

BON, D'ACCORD! ON LAISSE TOMBER LE SALUT! PASSONS AUX EXERCICES D'ASSOUPLISSEMENT.

DANS L'ENSEMBLE, C'ÉTAIT PAS MAL, SAUF PEUT-ÊTRE POUR MADAME FLOCONET, QUI EST BEAUCOUP TROP NOUÉE. IL FAUT VOUS DÉTENDRE, MADAME FLOCONET, SANS QUOI VOUS N'ALLEZ PAS TENIR TOUTE LA SEMAINE.

BIEN. LE PRINCIPE DES ARTS MARTIAUX EST DE LIBÉRER L'ÉNERGIE QUI EST EN NOUS.

L'ÉNERGIE VIENT DE LÀ.

AH BON? D'ICI?

REGARDEZ, JE VAIS UTILISER L'ÉNERGIE QUI EST EN MOI. JE SUIS CAPABLE, SANS ARME, D'ARRÊTER NET QUELQU'UN QUI S'ÉLANCE VERS MOI. MADAME MAMU, ÉLANCEZ-VOUS VERS MOI!

KIAÏÏÏ!!!

VOUS AVEZ VU? ÇA A BIEN MARCHÉ, HEIN? LE BANDIT EST STOPPÉ NET PAR L'ÉNERGIE DU KIAÏ.

À VOTRE TOUR D'ESSAYER, MONSIEUR CAUVIN. JE VAIS FAIRE MINE DE VOUS DONNER UN COUP DE PIED RETOURNÉ, ET VOUS, SANS ARME, AVEC L'ÉNERGIE DU KIAÏ, VOUS ALLEZ TENTER DE M'ARRÊTER.

KIAÏÏ!

ON AVAIT DIT "SANS ARME", MONSIEUR CAUVIN!

À VOTRE TOUR, MADAME CORNETTE, JE VEUX VOUS ENTENDRE POUSSER UN BEAU "KIAÏ"!

KIAÏ

PLUS FORT, MADAME CORNETTE. JE N'ENTENDS RIEN.

KIAÏ

C'EST PAS MAL, MAIS VOUS POUVEZ FAIRE MIEUX. SORTEZ BIEN TOUTE L'ÉNERGIE QUE VOUS AVEZ EN RÉSERVE, LÀ.

ALLEZ-Y. CONCENTREZ-VOUS BIEN.

MMMMH

MMMMMH

KIAÏÏ!

VOILÀ! PARFAIT! LÀ, ON A BIEN SENTI L'ÉNERGIE QUE VOUS AVIEZ...

ME SENS PAS BIEN.

...EN RÉSERVE!

POC

NE SOYEZ PAS INQUIETS. JUSTE UN PEU DE FATIGUE, A DIT LE DOCTEUR. MADAME CORNETTE DEVRAIT ÊTRE SUR PIED D'ICI TROIS OU QUATRE JOURS. EN ATTENDANT, ON CONTINUE AVEC LA JEUNESSE ?

ALORS ? DEMAIN, MÊME HEURE ?

OUI.

OUI !

OUI !

NON !

LE LENDEMAIN.

VOILÀ, MONSIEUR LA VOIE DE LA SAGESSE, POUR VOTRE GENTILLESSE ET VOTRE DOUCEUR JE VOUS AI APPORTÉ DES CHOCOLATS !

ÇA, C'EST SYMPA ! JE LES GOÛTERAI TOUT À L'HEURE.

AUJOURD'HUI, JE VAIS VOUS MONTRER COMMENT VOUS DÉFENDRE FACE À QUELQU'UN QUI VOUS MENACE D'UN COUTEAU OU ARME BLANCHE.

VENEZ, MADAME FLOCONET, VOUS ÊTES UN VOYOU ET VOUS ALLEZ ME MENACER AVEC CE COUTEAU. N'AYEZ PAS PEUR, C'EST UN COUTEAU EN PLASTIQUE.

AU REVOIR!

AU REVOIR!

AU REVOIR!

CRONCH!

À DEMAIN.

ALORS, MADAME MAMU ? PAS TROP DURES, LES LEÇONS ?

PFOU! J'AI MAL PARTOUT! MAIS J'AI DÉJÀ MOINS PEUR DE SORTIR SEULE LE SOIR. J'ATTENDS AVEC IMPATIENCE LA FIN DE LA SEMAINE

MERCREDI

WOOSH

WOOSH

WOOSH

HOOOM HSOOOM

JEUDI

PARFAIT!

VENDREDI

POING GAUCHE, POING DROIT, POING GAUCHE, POING...

CRAAAC!

POINT À L'ENVERS, POINT À L'ENDROIT, POINT À L'ENVERS, POINT...

SAMEDI

AUJOURD'HUI, POUR NOTRE DERNIÈRE LEÇON, J'AI UNE BONNE NOUVELLE, UNE TRÈS BONNE NOUVELLE !

NOTRE DOYENNE, MADAME CORNETTE, EST TOUT À' FAIT RÉTABLIE, ET NOUS REVIENT PLUS EN FORME QUE JAMAIS !

MAIS COMME ON APPREND AUTANT EN REGARDANT QU'EN FAISANT, MADAME CORNETTE SUIVRA LE COURS CONFORTABLEMENT INSTALLÉE.

POING GAUCHE, POING DROIT, POING GAUCHE, POING ...

JE LE SAVAIS, QUE J'AURAIS DÛ M'EN ALLER, JE LE SAVAIS !

BLAM

STOP ! ON ARRÊTE !

VOILÀ. CETTE SEMAINE DE STAGE SE TERMINE ICI. J'ESPÈRE QUE VOUS EN AUREZ ÉTÉ SATISFAITS. POUR MA PART, JE TROUVE QUE VOUS AVEZ ÉTÉ DES ÉLÈVES FORMIDABLES !

ON PEUT S'EN ALLER ?

JUDO GYMNASTIQUE

DITES, ON NE VA PAS SE QUITTER COMME ÇA. ON POURRAIT ALLER FÊTER CETTE FIN DE STAGE QUELQUE PART!

SI C'EST COMME ÇA JE VIENS!

D'ACCORD, MAIS UN VERRE ALORS, J'AIMERAIS NE PAS RENTRER TROP TARD.

TEA-ROOM

Café

GLACES

La bell

GARÇON, À BOIRE POUR DES BRAVES GENS QUI ONT DÉCIDÉ DE COMBATTRE LA BRUTALITÉ PAR LA SOUPLESSE ET L'INTELLIGENCE!

?

AU TROISIÈME ÂGE!

..."ET ÇA, C'EST MON PETIT-FILS JOJO, AVEC SON MEILLEUR AMI, GROS-LOUIS. ET ICI..."

ATTENDEZ, JE VAIS VOUS MONTRER UNE PHOTO D'ALPHONSE PENDANT SON SERVICE MILITAIRE, C'EST TORDANT!

ET CE QUI NE DEVAIT ÊTRE "QU'UN VERRE"...

EN TOUT CAS, MAINTENANT, LE COUP DE PIED RETOURNÉ, JE L'ARRÊTE COMME JE VEUX!

MOI, JE SAIS PAS, MAIS JE CROIS QUE JE SUIS DOUÉE POUR LE "KIAÏ"!

ET ALORS JE LUI AI DIT: "SI C'EST COMME ÇA, JE M'EN VAIS..."!

HÉ! DOUCEMENT! CE N'EST PAS CORRECT DE SE RÉJOUIR AINSI DE LA DÉFAITE D'UN ADVERSAIRE. VOUS AVEZ OUBLIÉ UNE CHOSE: IL FAUT D'ABORD ...

SALUER!

TU SAIS, JE VAIS T'AVOUER QUELQUE CHOSE. CES DERNIERS TEMPS, JE CROYAIS QUE TU NE M'AIMAIS PLUS! JE ME DISAIS: SI C'EST COMME ÇA, JE M'EN VAIS! MAIS C'EST FINI, TOUT ÇA! AUJOURD'HUI, JE TE RETROUVE!

ME SENS PAS BIEN.

MADAME CORNETTE !

OOH ! MADAME CORNETTE ! C'EST DE NOTRE FAUTE ! NOUS N'AURIONS JAMAIS DÛ VOUS EMBARQUER DANS CETTE AVENTURE !

NON. NE SOYEZ PAS DÉSOLÉS. IL Y A BIEN LONGTEMPS QUE JE NE M'ÉTAIS PLUS AUTANT AMUSÉE.

JE SUIS VIEILLE DEPUIS SI LONGTEMPS... CE SOIR, JE ME SUIS SENTIE VIVANTE... JE SUIS HEUREUSE !

JE SUIS BIEN FATIGUÉE... JE ME SUIS PEUT-ÊTRE TROP AMUSÉE... C'ÉTAIT MON PLUS BEAU JOUR ... DEPUIS ... LONGTEMPS ...

C'ÉTAIT AUSSI SON DERNIER.

ELLE EST...?

MORTE, OUI.

ON NE SAIT MÊME RIEN D'ELLE. ELLE PARLAIT SI PEU...

REGARDEZ. SON PORTEFEUILLE EST TOMBÉ.

ISABELLE CORNETTE... NÉE LE 12 SEPTEMBRE 1903. INSTITUTRICE.

ÇA AURAIT PU ÊTRE LA MIENNE...

APPELONS LA POLICE ET UNE AMBULANCE. ET RENTRONS CHEZ NOUS. EN TAXI.

JOJO S'EST LEVÉ DE BONNE HUMEUR AUJOURD'HUI.

UNE ÉTRANGE LUEUR BRILLE AU FOND DE SES YEUX.

UNE LUEUR INQUIÉTANTE.

MAMU, JE PEUX T'AIDER?

JOJO! JE T'AI DIT MILLE FOIS DE PRÉVENIR QUAND TU ES DERRIÈRE MOI!

ÉCOUTE, TU ES TRÈS GENTIL, MAIS JE N'AI PAS BESOIN DE TON AIDE. TU PEUX ALLER JOUER, JE T'APPELLERAI QUAND LE PETIT DÉJEUNER SERA PRÊT.

MAIS, JE VEUX T'AIDER!

BON, D'ACCORD, TU PEUX M'AIDER, MAIS ARRÊTE DE PLEURER, TU SAIS QUE JE NE SUPPORTE PAS!

JE VAIS PRÉPARER LA PÂTE À CRÊPES.

C'EST ÇA!

TCHIKA TCHIKA TCHIKA TCHIKA

T'EN FAIS PAS, JE T'AIDERAI A NETTOYER !

ON MANGE ?

MIOM MIOM MIOM

BWEEKRE ! C'EST PLEIN DE GRUMEAUX !

T'ARRIVES A AVALER ÇA, TOI ?

POUT

POUT POUT

BON, JE VAIS T'AIDER A TOUT NETTOYER !

GLOUP

NON.

POURQUOI NON ?

TU... TU NE VEUX PAS QUE JE T'AIDE ?

SI, MAIS JE TROUVE QUE LA CUISINE EST TRÈS BIEN COMME ÇA. TU PEUX ALLER JOUER; MOI, JE VAIS LIRE UN MAGAZINE. BONNE JOURNÉE, JOJO !

ÇA ALORS ! QUAND JE PENSE COMME ELLE M'ENGUIRLANDE QUAND MA CHAMBRE EST UN PETIT PEU EN DÉSORDRE, ET ELLE, SA CUISINE, ELLE LA LAISSE COMME ÇA !

DING DONG

MAIS JE **VEUX** VOUS AIDER !

MF

HOÛ ! HOÛ ! MONSIEUR LE FACTEUR ! VOILÀ ! C'EST FAIT !

ON CONTINUE LA TOURNÉE ?

BEN ? OÙ IL EST ? IL A DISPARU !

QUAND JE PENSE COMME JE ME FAIS ENGUIRLANDER QUAND JE NE TERMINE PAS MES DEVOIRS, ET LUI, IL ABANDONNE CARRÉMENT SA TOURNÉE !

ÉCOUTEZ, IL FAUT ABSOLUMENT LUI DIRE QU'ON N'A PAS BESOIN DE LUI, SINON JE... ON COURT À LA CATASTROPHE !

VENEZ ! À DEUX, ON AURA PLUS DE COURAGE !

ESPÉRONS-LE...

JOJO, ON A À TE PARLER...

EUH... CE QU'ON A À TE DIRE N'EST PAS FACILE À DIRE...

TU NOUS CONNAIS, ON NE VA PAS TOURNER AUTOUR DU POT...

NI CHERCHER MIDI À QUATORZE HEURES...

EN BREF...

ON AIMERAIT BIEN QUE TU CESSES DE NOUS AIDER !

VRAIMENT ? MAIS FALLAIT LE DIRE TOUT DE SUITE !

46

ÇA S'EST PLUTÔT BIEN PASSÉ.

OUI. IL N'A PAS EU L'AIR TROP TRISTE.

ON LUI AURAIT DIT ÇA CE MATIN, IL EN AURAIT FAIT UNE MALADIE ! LES ENFANTS SONT SI CHANGEANTS...

OU ALORS SI MALINS...

QU'EST-CE QUE VOUS VOULEZ DIRE ?

VOUS NE PENSIEZ PAS FAIRE LE GRAND NETTOYAGE DE VOTRE MAISON, LA SEMAINE PROCHAINE ?

...

ET NATURELLEMENT, VOUS COMPTIEZ SUR JOJO POUR VOUS DONNER UN PETIT COUP DE MAIN...

MAIS MAINTENANT...

QUOI ?! VOUS VOULEZ DIRE QU'IL A FAIT TOUT ÇA POUR... ENFIN, POUR NE PAS ?!...

EH ! ALLEZ SAVOIR !

NON ! SI ?... VOUS CROYEZ ? OOOH !...

FIN

GEERTS 95.

PRINTED IN BELGIUM BY

proost

INTERNATIONAL BOOK PRODUCTION